Cyhoeddwyd gan Gymdeithas Lyfrau Ceredigion Gyf.,
Blwch Post 21, Yr Hen Gwfaint, Ffordd Llanbadarn,
Aberystwyth, Ceredigion SY23 1EY
www.clcgyf.org
Argraffiad Cymraeg cyntaf: Mai 2008

Addasiad: Eleri Roberts a Dylan Williams

ISBN 978-1-84512-070-2

Cyhoeddwyd gyntaf ym Mhrydain yn 2008 gan Walker Books Ltd.,
87 Vauxhall Walk Road, Llundain SE11 5HJ
Teitl gwreiddiol: Penguin

Cysodwyd y llyfr hwn mewn Windsor.
Dyluniwyd gan Ian Butterworth.
Argraffwyd a rhwymwyd yn China.

Pengwin

Polly Dunbar

Cymdeithas Lyfrau Ceredigion Gyf

Rhwygodd Siôn ei anrheg ar agor.

Y tu mewn roedd pengwin.

"Helô, Pengwin!" meddai Siôn.

"Be gawn ni chwarae?" holodd Siôn.

Ddywedodd Pengwin ddim byd.

"Fedri di ddim siarad?" holodd Siôn.

Ddywedodd Pengwin ddim byd.

Cosodd Siôn fol Pengwin.

Chwarddodd
Pengwin
ddim.

Tynnodd Siôn ei wyneb doniolaf
i Pengwin.

Chwarddodd
Pengwin
ddim.

Gwisgodd Siôn het hapus,

canodd gân wirion

a dechrau dawnsio dwli.

Ddywedodd Pengwin ddim byd.

"Wnei di siarad â fi os safa i ar fy mhen?"

gofynnodd Siôn.

Ddywedodd Pengwin 'run gair.

Felly prociodd Siôn fol Pengwin

a thynnu ei dafod ar Pengwin.

Ddywedodd Pengwin ddim byd.

Gwnaeth Siôn hwyl am ben Pengwin

a dynwared Pengwin.

Ddywedodd Pengwin ddim byd.

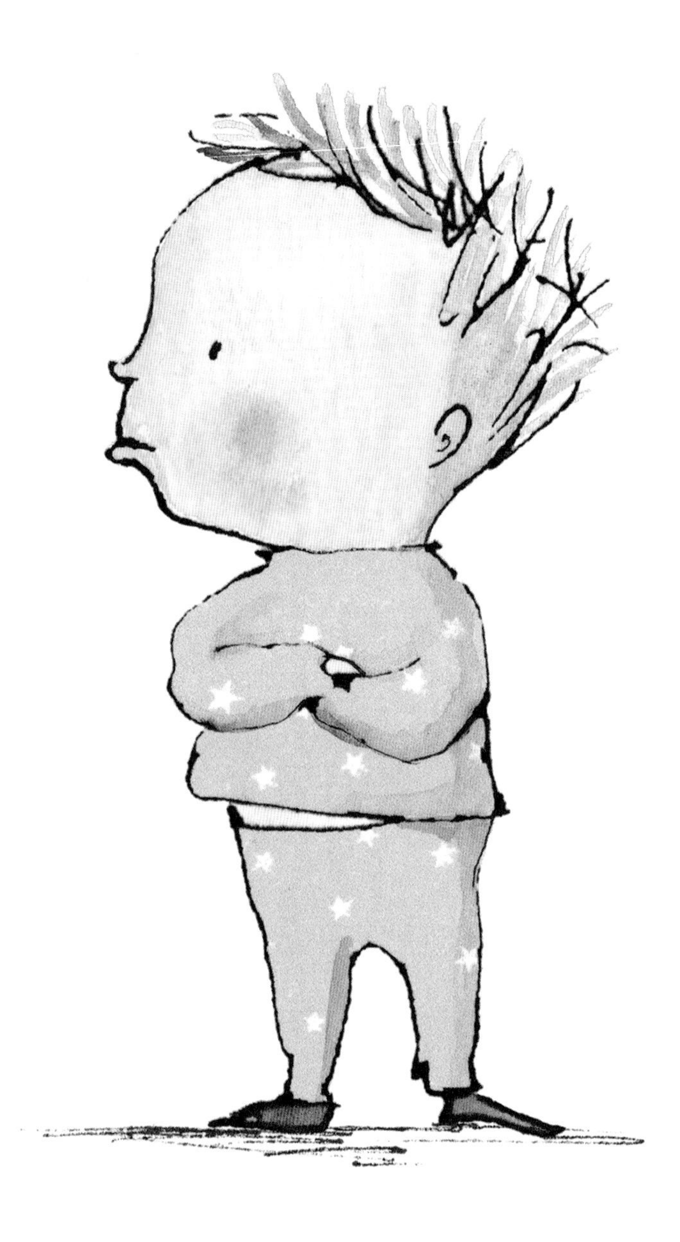

Anwybyddodd Siôn Pengwin.

Anwybyddodd Pengwin Siôn.

Felly taniodd Siôn Pengwin i'r gofod . . .

Daeth Pengwin yn ôl i'r Ddaear heb ddweud gair.

Ceisiodd Siôn fwydo Pengwin i lew a oedd yn digwydd mynd heibio.

Ddywedodd Pengwin ddim byd.

Doedd Llew ddim am fwyta Pengwin.

Cafodd Siôn bwl o sterics.

Ddywedodd Pengwin ddim byd.

DWED

RYWBETH!

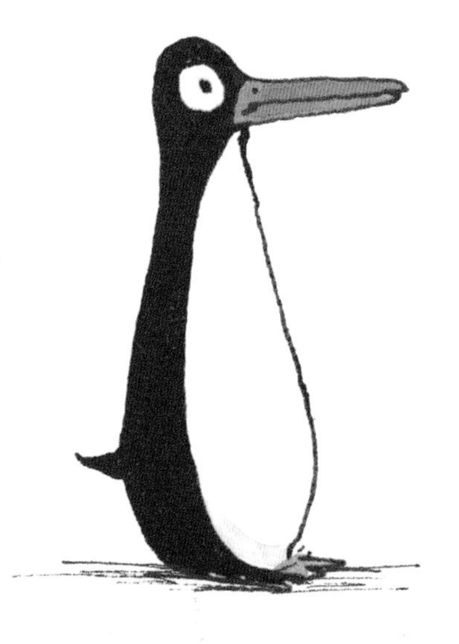

Bwytaodd Llew Siôn am

fod yn rhy swnllyd.

Pigodd Pengwin
drwyn Llew
yn galed galed.

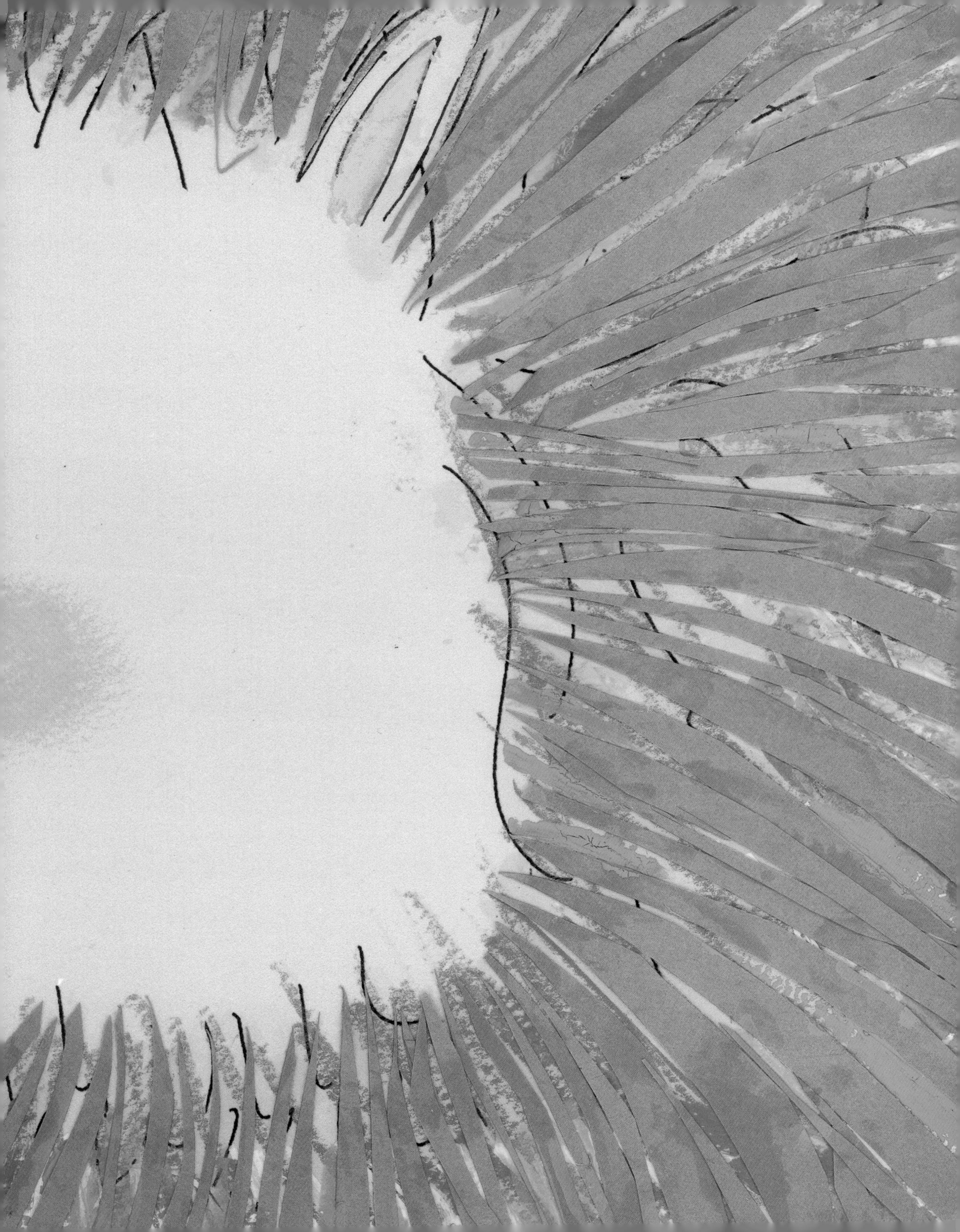

meddai Llew.

meddai Siôn.

Ac meddai Pengwin ...

bopeth!

Y Diwedd
a thro yn y gynffon!